lo

Misterio en Buenos Aires

Ilustraciones de **Paolo D'Altan**

Member of CISQ Federation

CERTIFIED MANAGEMENT SYSTEM
ISO 9001

The design, production and distribution of educational materials for the CIDEB (Black Cat) brand are managed in compliance with the rules of Quality Management System which fulfils the requirements of the standard ISO 9001

Redacción: Massimo Sottini
Revisión: Maria Grazia Donati
Diseño: Silvia Bassi, Daniele Pagliari
Maquetación: Annalisa Possenti
Búsqueda iconográfica: Alice Graziotin

Dirección de arte: Nadia Maestri

Primera edición: febrero de 2019

Créditos fotográficos:
Shutterstock; iStockphoto; Dreamstime; Hemis/Alamy Stock Photo: 54; Didi/Alamy Stock Photo:75.

Para cualquier sugerencia o información se puede establecer contacto con la siguiente dirección:

info@blackcat-cideb.com
blackcat-cideb.com

ISBN 978-88-530-1843-4

Impreso en Italia, por Italgrafica, Novara.

Índice

n. pista EL TEXTO ESTÁ GRABADO EN SU TOTALIDAD.

Mi Buenos Aires querido

La Ciudad de Buenos Aires es la capital de la República Argentina. Está ubicada en la orilla occidental del Río de la Plata, en plena llanura pampeana. La población cuenta con unos 3 millones de habitantes. Teniendo en cuenta un aglomerado urbano llamado **Gran Buenos Aires**, totaliza casi 13 millones de habitantes.

El nombre le viene de una advocación de la Virgen María de origen italiano: la Madonna del Bonaire, protectora de los navegantes.

En Buenos Aires la temperatura media anual está alrededor de los 18 °C, aunque el termómetro registra importantes variaciones durante el año.

La Ciudad de Buenos Aires tiene dos fundaciones. El 2 de febrero de 1536, el español Pedro de Mendoza establece un asentamiento al que le da el nombre de *Puerto de Nuestra Señora del Buen Ayre*. En 1541, los mismos españoles destruyen el asentamiento y abandonan la ciudad debido a los continuos ataques por parte de la resistencia indígena.

Juan de Garay, en 1580, funda la *Ciudad de La Santísima Trinidad y Puerto de Santa María del Buen Ayre*. Es la segunda y definitiva fecha de establecimiento de la actual capital argentina.

Buenos Aires es una ciudad enorme, y en ella se encuentran muchos lugares de gran interés. El símbolo de la ciudad es el Obelisco: se construye en 1936 para conmemorar el cuarto centenario de la fundación de Buenos Aires y está ubicado en la plaza de la República; el imponente monumento es el lugar donde se izó por primera vez la bandera nacional en la ciudad.

La **plaza de Mayo** es la más famosa de Buenos Aires y es lugar de encuentro para protestas, festejos populares, manifestaciones, reclamos, vigilias. Todos los jueves, desde el año 1977, se reúnen en ella las agrupaciones de las **Madres y Abuelas de Plaza de Mayo** para reclamar por sus hijos y nietos desaparecidos durante la dictadura militar. En la plaza podemos encontrar la Pirámide de Mayo, que recuerda a los revolucionarios artífices de la Independencia de Argentina, y el monumento a Manuel Belgrano, creador de la bandera nacional.

La plaza de Mayo.

▶ La Casa Rosada.

En la plaza de Mayo de Buenos Aires podemos encontrar también edificios como la Casa Rosada – sede del Gobierno de la República, la Catedral Metropolitana y el Cabildo, antigua sede de la administración colonial de España.

1 Comprensión lectora • Di si las afirmaciones son verdaderas (V) o falsas (F).

		V	F
1.	El Gran Buenos Aires es la capital de la República Argentina.	☐	☐
2.	La población de la ciudad de Buenos Aires cuenta con 13 millones de habitantes.	☐	☐
3.	El nombre de esta ciudad le viene de la Virgen María protectora de los navegantes.	☐	☐
4.	La Ciudad de Buenos Aires tiene dos fundaciones: una en 1536 y otra en 1936.	☐	☐
5.	En Buenos Aires la temperatura media anual es siempre de 18 ºC.	☐	☐
6.	Todos los días, en la plaza de Mayo se reúnen personas que se dedican a festejar.	☐	☐
7.	La Pirámide de Mayo rinde homenaje a los revolucionarios artífices de la independencia de Argentina.	☐	☐
8.	El Obelisco es el icono de la ciudad de Buenos Aires.	☐	☐

Personajes

De izquierda a derecha y de arriba abajo: el profesor Juan, Juan Pablo Castel, Morel, Ignacio Oliveira, la profesora Rodrigo, Giovanni, Francisco, Sofía, Araceli.

ANTES DE LEER

1 Observación • Observa la imagen de la tapa del libro y responde a las siguientes preguntas.

1. ¿Qué te sugiere el título *Misterio en Buenos Aires*?
2. ¿De qué piensas que trata la historia?
3. ¿Cómo son los personajes? Descríbelos.

2 Léxico • Asocia cada palabra con su imagen correspondiente.

iguana róbalo flamenco mulita ratón mamut oveja tucán coatí

3 Léxico • Usa un diccionario para encontrar el significado de las palabras y elige el intruso, como en el ejemplo.

1. **Crimen:** robo • (caballero) • ladrón • criminal
2. **Detectives:** apuesta • arrestar • investigar • pistas
3. **Comida:** almuerzo • banquete • cena • desayuno
4. **Descripción física:** alto • bajo • delgado • serio
5. **Carácter:** alegre • feo • simpático • tonto
6. **Establecimientos:** bar • biblioteca • hotel • restaurante
7. **Ciudad:** avenida • calle • plaza • camioneta
8. **Misterio:** acertijo • adivinanza • enigma • solución
9. **Escuela:** director • azafata • profesor • delegado de clase
10. **Partes del día:** hoy • mañana • noche • tarde

4 Léxico • ¿Conoces las siguientes palabras? Asocia cada palabra con su definición correspondiente. Ayúdate con el diccionario si quieres.

1. ☐ huir
2. ☐ esposas
3. ☐ billete
4. ☐ equipaje
5. ☐ guía
6. ☐ campanas
7. ☐ carrito
8. ☐ cárcel

a Anuncian que está por comenzar la misa.
b Alejarse de un lugar rápidamente.
c Conjunto de cosas que nos llevamos a un viaje.
d Persona que explica los monumentos, cuadros, etc. a los turistas.
e Vehículo para transportar cosas.
f Lugar en el que la autoridad encierra a los que han obrado contra la ley.
g Anillas de metal unidas por una cadena que sirven para sujetar las muñecas de los presos.
h Es un ticket para cualquier tipo de transporte.

CAPÍTULO 1

El nuevo profe

¡Tic-tac, tic-tac... ring-ring-ring!

Suena el despertador: 6:30 de la mañana.

Juan se levanta y se prepara para ir al trabajo. Se siente muy emocionado, ya que hoy va a ser su primer día como profesor en el Centro de Bachillerato "María del Pilar", un instituto de reconocido prestigio en Barcelona.

Cuando llega al instituto, se para unos segundos delante de las escaleras para contemplar el grande y elegante edificio que va a ser su lugar de trabajo a partir de hoy.

Nervioso, pero decidido, se dirige hacia la entrada y espera un momento delante de la puerta del aula. Luego decide entrar.

Esta es la clase del último curso de bachillerato. Las edades de los estudiantes oscilan entre los 17 y 18 años. Los alumnos en el aula están armando un gran alboroto.[1]

—Buenos días, jóvenes —saluda el profesor.

---

1. **armar un alboroto:** crear una situación confusa, agitada.

Los estudiantes levantan la mirada para conocer al nuevo profesor... un hombre alto, de pelo corto castaño y ojos grandes y azules. Lleva una barba de tres días y sonríe amablemente a los chicos. Lleva unos vaqueros negros con una camisa y encima una chaqueta.

—Señores, silencio. A ver, ¡cada uno a su asiento, por favor! Y tú, ¡siéntate bien! ¡Deja de sostener la pared! —dice el profesor a uno de los chicos.

—Profesor, este instituto no es muy seguro, si no me apoyo en la pared, esta se puede venir abajo —contesta irónico Ezequiel.

Todos los compañeros se echan a reír, divertidos.

—Señores, un poco de respeto. ¡Espero ese mismo entusiasmo en tus pruebas orales y escritas! —le dice a Ezequiel.

Después de un terrible ruido de sillas y mesas, los estudiantes ya están cada uno en su sitio.

—Bueno... a ver... a ver. Buenos días. Como ya todos vosotros sabéis soy el nuevo profesor. Sustituyo a la profesora Claudia Rojo que está embarazada.[2] Me presento, soy el profesor Jua... quiero decir, el señor Rodríguez, y os voy a dar clases de Lengua y Literatura durante este segundo semestre. ¿Queréis hacer alguna pregunta?

Varios alumnos levantan la mano.

El profesor le da la palabra a una de las chicas.

—¿Está casado? —dice una chica alta, gordita, de pelo largo liso y ojos castaños. Lleva puesto un chándal[3] con unas zapatillas deportivas negras. Cuando sonríe, se le ilumina la cara. Se llama Araceli y tiene dieciocho años. El profesor no responde.

—Profesor, sobre el viaje de fin de curso —pregunta tímidamente Sofía —. Le explico mejor, ahora que la profesora Rojo está embarazada no tenemos acompañantes...

---

2. estar embarazada: de una mujer, que va a tener un hijo.
3. chándal: prenda para hacer deporte compuesta por un pantalón y una chaqueta.

Sofía es una chica muy guapa de diecisiete años. Tiene el pelo castaño y ondulado y unos ojos azules intensos. Es una persona muy amable y educada. Y además es la delegada de su clase.[4]

—Bueno, vamos a hablar[5] de eso luego, ¿vale? Primero tengo que hablar con la directora —dice el profesor con un tono de voz amigable—. Me parece importante, antes de empezar a dar clase, iniciar a presentarnos para conocernos y entrar más en confianza. Ya sabéis cómo me llamo yo. Ahora quiero saber cómo os llamáis vosotros —dice el profesor, y se sienta.

---

4. delegado de clase: alumno que representa al resto de sus compañeros.
5. *ir a* + infinitivo: perífrasis verbal que expresa la inminencia de la acción o un futuro próximo.

—Mi nombre es Giovanni —contesta uno de los estudiantes levantando la mano.

—¿Y de dónde eres, Giovanni?

—Yo soy de Buenos Aires —contesta Giovanni.

Giovanni es argentino, pero vive en España. Es alto, moreno y tiene una hermosa piel oliva y ojos color miel. Tiene dieciocho años y doble nacionalidad, porque sus padres son italianos, de Calabria.

—Yo soy Francisco —continúa otro estudiante, sentado a la derecha de Giovanni.

Francisco es un chico de diecisiete años. Es guapísimo, alto, castaño, lleva gafas y tiene los ojos negros y grandes. Lleva una gorra, una sudadera y unos pantalones anchos.

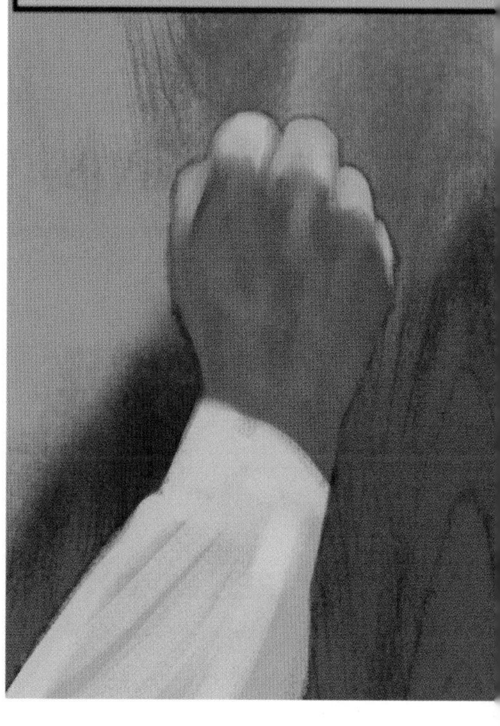

Todos se presentan diciendo su nombre, apellido, edad. El profesor emplea casi toda la hora dialogando con sus alumnos de sus gustos y preferencias.

Después de una hora, el profesor dice —Bueno, la clase se acaba. ¡Un placer conoceros chicos! Os veo mañana.

Los alumnos saludan cordialmente, mientras el profesor guarda sus libros en la mochila, sale del aula y se dirige hacia el despacho de la directora.

Llega hasta la puerta del despacho de la directora Ada Francs y llama ¡toc, toc, toc!

—Sí, adelante —se oye al otro lado. Juan abre la puerta y entra.

—¿Juan Rodríguez? —pregunta la directora.

El joven profesor responde afirmativamente.

—Bueno, ¿qué tal el primer día? —pregunta la directora.

—¡Bastante bien! —contesta el profesor Rodríguez.

—¿Sabe del viaje de estudios? —pregunta la directora.

—Vengo a informarme también sobre esto —contesta el profesor.

—Como ya sabe, la profesora Rojo no los va a poder acompañar. La otra profesora acompañante es la profesora Rodrigo. Son necesarios dos asistentes. ¿Qué le parece si los acompaña usted? —dice la directora sonriendo.

Después de haberlo pensado un momento, Juan acepta.

—¡Estupendo! —dice la directora Francs, con cierto aire de satisfacción.

Al día siguiente, el profesor Rodríguez les da los buenos días a los chicos, y les da la noticia tan esperada por ellos... Les va a acompañar él en su viaje de fin de curso... ¡a Argentina!

REFLEXIÓN

Piensa en el estado de ánimo de una persona.

1 ¿Cuál crees que es el estado de ánimo de Juan su primer día de trabajo? Elige entre las palabras a continuación.

emoción *entusiasmo* *satisfacción* *seguridad* *timidez*

2 ¿Qué piensas es importante hacer tu primer día de escuela? Elige entre las frases a continuación.

a ☐ Poner el despertador una hora antes.
b ☐ Respirar profundamente y relajarte.
c ☐ Pensar positivo.
d ☐ Estar seguro de ti mismo.
e ☐ Preparar todos los materiales y ponerlos en tu mochila.

Después de leer • pág. 56
Valores y sentimientos • pág. 78

CAPÍTULO 2

Salida para Buenos Aires

Después de tanto esperar, llega por fin el tan deseado 14 de marzo, el día de la salida para el viaje de fin de curso. El encuentro está programado para las 8 de la tarde en el aeropuerto de El Prat. El grupo es superpuntual.

Una hora después de haber hecho todos los controles suben por fin al avión y empiezan a tomar asiento.

Cuando todos están en sus respectivos asientos, se encienden los motores y el avión empieza a tomar velocidad en la pista, preparándose para el despegue.[1] Aunque se mueve un poco y algunos sienten miedo, todo va bien.

---

1. **despegue:** fase inicial de un vuelo.

CAPÍTULO 2

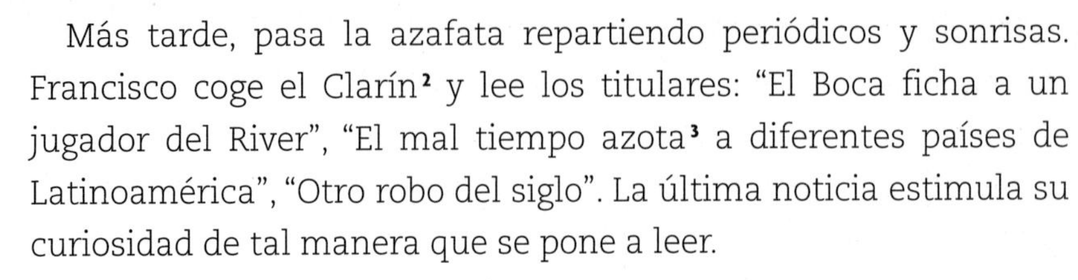

Más tarde, pasa la azafata repartiendo periódicos y sonrisas. Francisco coge el Clarín[2] y lee los titulares: "El Boca ficha a un jugador del River", "El mal tiempo azota[3] a diferentes países de Latinoamérica", "Otro robo del siglo". La última noticia estimula su curiosidad de tal manera que se pone a leer.

> La Policía no cuenta por el momento con ninguna pista sobre el robo cometido recientemente en el Palais de Glace, el Palacio Nacional de las Artes. Robadas trece pinturas valoradas en unos 5 millones de dólares, según los expertos, y en 1 millón según las autoridades. Este ha sido el robo de cuadros más famoso ocurrido en el país, más importante que el del Museo de Bellas Artes hace 20 años.
>
> Este hecho se suma a otros robos similares realizados en los últimos dos años en otros museos del país. La Policía sospecha que puede haber alguna conexión entre estos y el de Palais de Glace. Se observa en todos el mismo *modus operandi* que en el Palais de Glace: nocturnidad, sin testigos,[4] no se han encontrado huellas dactilares[5] ni señales de haber forzado la entrada. ¡Nada! ¡Un auténtico misterio! Se sospecha de la Banda Van Gogh, ya culpable de numerosos y excelentes robos.

Luego se apagan las luces principales del avión y solo quedan las luces pequeñas. Sofía cierra los ojos, tratando de dormir un poco. Francisco guarda el diario en su mochila y hace lo mismo.

---

2. Clarín: diario argentino publicado en Buenos Aires.
3. azotar: golpear.
4. testigo: persona que presencia de manera directa o indirecta cierto hecho.

5. huellas dactilares: 

El avión se desplaza suavemente por el espacio aéreo. Giovanni enciende su *smartphone* y empieza a escuchar música, mientras Araceli se pone a leer un libro.

Unas horas de vuelo después, Francisco se despierta, sube la persiana de la ventanilla del avión y ve un paisaje maravilloso. Los rayos del sol, azulados y rojizos, inundan el cielo y se reflejan en las nubes anunciando un claro amanecer.

—¡Qué maravilla! —exclama Francisco.

A su lado, todos sus compañeros están reposando.

Sofía se levanta y va hacia la parte de atrás del avión.

—Sofía, ¿qué hora es? —le pregunta Francisco.

Sofía mira el reloj y responde con voz ronca.

—¿Qué hora es dónde? ¿En Barcelona o en Buenos Aires? Son las 9 de la mañana en Barcelona, pero en Buenos Aires son las 5 de la mañana. Entre España y Argentina hay 4 horas de diferencia. Llevamos ya 10 horas viajando, todavía faltan tres.

Dos horas después las luces se encienden. Algunos chicos duermen, otros juegan con el móvil, otros se despiertan y muchos de ellos van al baño. Las azafatas empiezan a servir el desayuno.

Entre charla, risas y entusiasmo, un altavoz anuncia que están a punto de aterrizar en el aeropuerto de Ezeiza Ministro Pistarini.

Después de aterrizar, recoger el equipaje y solucionar los trámites de tasas y visados, fuera del aeropuerto los espera un autobús que los lleva al hotel, el Argentina Tango Hotel. Cuando llegan al hotel, el conserje manda unos botones[6] a desembarcar una gran cantidad de maletas, bolsas y mochilas.

—¡Bienvenidos gallegos! —les dice el conserje.

—Venimos de Barcelona —le corrige el profesor Juan.

---

6. botones: empleado de un hotel que se ocupa de los recados y otras pequeñas tareas que se le ordenan.

—Che,[7] se va a tener que acostumbrar caballero, aquí a los españoles, catalanes incluidos, los llamamos afectuosamente "gallegos" —replica el conserje esbozando una sonrisa.

En el hotel se asignan las habitaciones, que son dobles, excepto las de los profesores, que son individuales. A Sofía le toca compartir la suya con Araceli. Francisco duerme con Giovanni.

Los chicos deshacen su equipaje, ordenan sus cosas y descansan un poco.

A la hora prevista bajan al vestíbulo del hotel. Frente a la puerta, el autobús los espera para llevarlos al Museo de Bellas Artes.

—¿Estamos todos? —pregunta el profesor.

—No, falta Giovanni —contesta Clara, una chica del grupo.

Después de un rato, llega corriendo Giovanni.

—¿Se puede saber por qué llegas tarde? —pregunta la profesora.

—¡Ay! Profesora, lo siento. Es que me he olvidado de poner el despertador —contesta el chico.

—Vamos a llegar tarde al museo por tu culpa... ¡Sube al autobús! —le regaña[8] su profesora.

En cuanto llegan al museo, bajan del autobús y se dirigen a la taquilla para comprar las entradas. Hay una gran afluencia de turistas, pero la cola avanza bastante rápido.

---

7. **che:** interjección muy usada en Argentina para llamar, detener o pedir atención a alguien, o para denotar asombro o sorpresa.

8. **regañar:** reprender a alguien cuando se comporta mal.

Compran las entradas y van a la primera sala, atravesando un control de seguridad rutinario.

Acompañados por el guía, empiezan a visitar el museo. Entre las obras que alberga destacan las de El Greco, Goya y Picasso. También se pueden admirar obras de los pintores argentinos más importantes. Sofía y Araceli están encantadas ante tanta belleza.

De repente, un cuadro llama la atención de Francisco.

—¿De quién es este cuadro que representa a este hombre? —pregunta Francisco.

—Bueno, esta pintura es un cuadro sin autor identificado —contesta el guía.

—¿Y quién es la persona en el cuadro? —vuelve a preguntar Francisco.

—Se trata nada menos que de sir Paul César, un explorador de principios de siglo XX —contesta el guía. Luego continúa:

—Su figura está relacionada con la leyenda del tesoro de los Jesuitas. Según cuenta la leyenda, entre 1760 y 1800, antes de su expulsión, un grupo de Jesuitas que huye de las autoridades eclesiales del Alto Perú entierra un extraordinario tesoro en Buenos Aires. Muchos van detrás de este tesoro, pero, según se cuenta, mueren en el intento. Paul César también lo busca, pero desaparece sin dejar rastro.[9] Hasta hoy, nadie ha logrado localizar el tesoro. No obstante, periódicamente aparecen afirmaciones de su localización.

---

9. rastro: indicio de la presencia de alguien.

Después de un largo recorrido, la visita al museo termina.

Durante el camino de vuelta al hotel, todos ríen y están alegres. Los cuatro comentan lo que acaban de ver: [10]

—Me ha gustado mucho la visita —dice Sofía.

—Sí, en especial por la explicación de la leyenda de los Jesuitas. Muy interesante —concluye Francisco.

Cuando llegan al hotel, son ya las ocho de la tarde. Se detienen en la entrada del comedor, hasta que el *maître* va a recibirlos.

—Buenas noches, señores. Por acá, [11] por favor.

En el salón, se encuentran con un monumental banquete de bienvenida.

La cena se desarrolla en una atmósfera tranquila, hablando, riendo y recordando momentos vividos durante el viaje y en el museo. Todos prueban el asado, exaltando las dotes del gran asador. Cuando terminan de comer, ya satisfechos, deciden irse a acostar. Se levantan respetuosamente de la mesa. Se despiden y, entre besos y abrazos, se dirigen a sus respectivas habitaciones.

---

10. ***acabar de* + infinitivo:** perífrasis verbal que expresa una acción que ha terminado hace un momento.
11. **acá:** aquí.

REFLEXIÓN

Imagina que estás haciendo un viaje intercontinental y es la primera vez que subes a un avión. El avión en el aire se mueve un poco y sientes miedo.
¿Qué haces para distraerte?

a ☐ Enciendes tu *smartphone* y empiezas a escuchar música.
b ☐ Te pones a leer un libro.
c ☐ Charlas con tu compañero para distraerte.

Después de leer • pág. 58
Valores y sentimientos • pág. 78

CAPÍTULO 3

El mapa

Los chicos, a la mañana siguiente, se levantan temprano y se dirigen a la cafetería del hotel para tomar el desayuno.

El plan para este día es ir a conocer el barrio de San Telmo, con su famoso mercadillo. En animada charla, salen del hotel y cogen el colectivo[1] 152 que los lleva hasta el mercado de San Telmo. Allí empiezan a recorrer todos los puestos artesanales y compran regalitos.

—¡Qué lugar tan interesante! —exclama Sofía.

—¡Qué bonito es esto! —replica Araceli.

---

1. colectivo: 

—Sí, la verdad es que es bonito y la gente muy amable —admite Giovanni.

Francisco, mientras tanto, en un tenderete[2] que vende de todo, compra un maletín muy bonito.

—Mira, Sofía. ¿Te gusta? —le pregunta señalando el maletín.

—Sí —contesta Sofía —. Es muy bonito.

Van andando hasta llegar a la Plaza San Martín, el Padre de la Patria, donde hay un monumento en su conmemoración. De ahí cogen la calle Florida. Es reconocida como la calle comercial más importante de la Argentina. Siguen todo recto hasta el final y muy cerca se encuentran con la Casa Rosada. Frente a ella, los chicos sacan fotos y preguntan a Giovanni sobre su importancia. Luego cruzan una avenida y llegan a Puerto Madero, un barrio muy agradable y pintoresco.

La excursión finaliza y regresan al hotel con la intención de cenar temprano.

Después, cada uno va a su habitación para descansar.

—¿Habéis visto qué bonito, chicos? —dice Francisco mostrando su maletín. Lo he comprado en un tenderete. Es muy antiguo. A lo mejor pertenece a alguien muy importante. ¿Qué opináis?

—A ver, a ver —reclama con insistencia Giovanni.

—A ver... dámelo a mí —dice Araceli poniéndose al lado. Tiran con fuerza cada uno hacia un lado hasta que... ¡CRAC!

—¡Caramba, chicos! —exclama fastidiado Francisco—. ¡Mirad qué habéis hecho!

—Lo siento —le dice Giovanni.

—¿Lo sientes? Está roto y... ¿qué es esto? —exclama Francisco cambiando de repente su enfado por asombro.[3]

---

2. tenderete: sitio de venta al aire libre.
3. asombro: sorpresa.

Escondido dentro del maletín aparece un trozo de papel que parece muy antiguo, enrollado con una cinta.

—¡Oh! ¿Esto qué es? —exclama con asombro Sofía.

A primera vista parece un mapa del centro de Buenos Aires.

Se amontonan exaltados alrededor de Francisco para leerlo todos a la vez. El mapa indica que hay que seguir una dirección hasta la gran X, luego se corta y pone un enigma.

Tengo un solo diente,
a veces dorado y a veces plateado
y siempre llamo a la gente.
¿Qué soy?

Y al final aparecen la fecha y una firma, la firma del explorador Paul César.

—¡Esto es increíble, chicos! Este debe ser el mapa original de Paul César. Sentid la textura del mapa, parece auténtico —concluye Francisco.

—¡Vamos, Francisco! ¡Eso del tesoro es solo una historia inventada para hacernos soñar! —exclama Giovanni.

—Hay una sola manera de averiguarlo —exclama Francisco abriendo el antiguo y polvoroso mapa—, encontrar el tesoro.

—¡Claro que sí! ¿Somos un equipo o no? —gritan Sofía y Araceli a coro. Así también se convence Giovanni.

Los cuatro, después de cenar, a eso de las 12 de la noche salen del hotel a escondidas.[4]

Una vez fuera, Francisco mira las instrucciones que le plantea el mapa.

—¡Mirad! Tenemos que ir hasta el Obelisco, es el punto de partida, seguir recto por la Avenida 9 de Julio caminando 7 minutos (unas 7 cuadras[5]), girar en la primera calle a la izquierda y después seguir recto hasta donde marca la equis en el mapa.

Mientras habla, el chico sigue el recorrido en el mapa con el dedo: el camino sale de la ciudad y lleva justo a la parroquia de San Ignacio de Loyola.[6]

—A lo mejor el tesoro está aquí —exclama muy confundido Francisco.

---

4. **a escondidas:** sin ser vistos.
5. **cuadra:** espacio urbano cuadrangular delimitado por calles por todos los lados.
6. **parroquia de San Ignacio de Loyola:** iglesia católica ubicada en Buenos Aires. Fue construida por la Compañía de Jesús en 1675.

—¡Claro que sí! —exclama Araceli—. El signo en el mapa no es una equis, sino una cruz. Y la cruz es la iglesia.

—Sí, puede ser —dicen los demás.

—A lo mejor *"tengo un solo diente"* de nuestro enigma —continúa Sofía— es la campana.

—¡Muy bien, Sofía! ¡Eres genial! —exclaman todos juntos.

—¡Vamos, entonces, a por el tesoro! —dice Sofía, y deprisa se encaminan hacia la parroquia.

Como no tienen permiso para entrar, entran a escondidas y suben rápidamente las escaleras que conducen al campanario de la parroquia.

Ya en el campanario, Giovanni mira en la cavidad interna de la campana y encuentra un cofre.

Con mucho cuidado, Giovanni abre el cofre.

—¡Otro mapa del tesoro! —observa Giovanni, mientras lo saca del cofre.

—¡No! —niega Francisco—. No es otro mapa, sino que es la parte que falta del mapa que ya tenemos.

Empieza a leer y se encuentra el siguiente enigma:

Hay una pirámide cuadrangular,
que todos pueden admirar.
No la abaten ni los truenos
y se localiza en Aires Buenos.

—*"Hay un... uno..."* —dice Francisco en voz baja.

Se queda pensando unos instantes; hasta que Araceli se acerca a su lado.

—¡Ya lo tengo! —grita emocionada.

—Explícalo entonces —le pide Giovanni.

—Se refiere al Obelisco, el monumento de Buenos Aires.

—Tú sí que eres lista —comenta Giovanni.

—Gracias —responde Araceli.

Con el primer enigma resuelto, Francisco lee el siguiente enigma.

Amigo, no te voy a burlar
una ayuda te voy a dar
a mediodía la cima te va a indicar
con su sombra cuál camino tomar

Después de un momento, Araceli comienza a hacer hipótesis.

—Entonces... —pregunta Francisco, esperando la resolución del enigma.

—Entonces hay que esperar, la cima del Obelisco nos va a indicar dónde está la siguiente pista —concluye Araceli. Luego echa un vistazo al reloj.

—Vamos, tenemos que irnos, es muy tarde, está casi saliendo el sol. Hay un buen recorrido y es mejor volver en taxi para llegar antes.

Así es como, casi a las cuatro de la mañana, los chicos van hacia el hotel. Llegan tan cansados que apenas usan las últimas fuerzas que les quedan para ducharse e irse a la cama.

REFLEXIÓN

1 ¿Cómo crees que se sienten los chicos cuando encuentran el mapa? Elige entre las palabras a continuación.

asombrados *enfadados* *fastidiados* *confundidos* *emocionados*

2 Fíjate en la frase "¿Somos un equipo o no?". ¿Por qué es importante trabajar en equipo? Marca las opciones con las que estás de acuerdo.

- **a** ☐ Porque se complementan las habilidades y los talentos.
- **b** ☐ Porque aumenta el sentido de pertenencia.
- **c** ☐ Porque no te sientes solo.
- **d** ☐ Porque puedes resolver mejor los problemas y encontrar nuevas ideas.
- **e** ☐ Porque es mucho más divertido.

Después de leer • pág. 60
Valores y sentimientos • pág. 78

CAPÍTULO 4

Misterio en Recoleta

El plan de la mañana prevé una excursión en autobús por la plaza del Teatro Colón y visita al famoso barrio de La Boca.

—... Y a las doce —concluye el profesor— nos espera la cima del Obelisco, con sus cuatro ventanas, que alguno de vosotros tanto desea ver para contemplar la ciudad y sacar fotos.

Después de terminar el recorrido, la profesora Rodrigo les dice:

—Ahora tenéis un poco de tiempo libre para descansar, si lo deseáis. Nos vemos en la entrada del Obelisco dentro de dos horas.

Nuestros cuatro "investigadores" se acercan al Obelisco tratando de descifrar el enigma del día anterior, pero sin resultado. Sofía gira su cabeza hacia el Obelisco varias veces y observa cómo cambian la luz y la sombra, que lentamente avanza.

—¡Ya lo tengo! —anuncia Sofía con aire triunfante. Si observamos el monumento, se parece a un gran reloj, y su sombra se proyecta como una flecha que indica hacia dónde ir.

—¡Muy bien, Sofía! —exclama Francisco—. ¡Veo que la lógica se te da bien!

A las doce, corren hacia donde la cima del Obelisco proyecta su sombra y, siguiéndola, ven una piedra bastante grande. Después de mucho esfuerzo, logran desplazarla unos metros.

Debajo de la piedra hay un agujero donde encuentran un baúl pequeño y muy antiguo; lo abren, ven una carta y comienzan a leerla.

La carta dice lo siguiente: "*Muy bien, has conseguido pasar la prueba pero... cuidado. A partir de ahora va a ser más difícil*".

En la parte inferior de la carta hay un enigmático mensaje:

En la Recoleta, un lugar lleno de gente
Algunos con vida y otros con muerte
Descansa entre sus paredes el valiente

—Se refiere al famoso cementerio de Buenos Aires —dice Giovanni.

Y, continuando con la lectura, se lee:

Resuelve este enigma y descubre
el nombre secreto
Mulita puma róbalo mamut iguana
tucán
Flamenco coatí escuerzo ratón
jaguar oveja

—¿Y eso qué significa? ¡Ya estoy harto de estos jueguecitos! —exclama con inquietud Giovanni.

—¡Calma, calma! Ahora tenemos que volver enseguida con el grupo. Vamos a pensar con calma qué hacer —dice Francisco.

Los chicos regresan al hotel y suben a sus cuartos para descansar.

A las cuatro bajan y se unen al paseo de compras programado para esa tarde por la famosa calle Florida, considerada una de las calles comerciales más bonitas y elegantes del mundo. Siempre está llena de gente durante el horario comercial y parejas de artistas bailan el tango, para atraer a los turistas.

Mientras tanto, los cuatro van a un bar cercano, para tomar algo y pensar cómo resolver el enigma.

Francisco saca el mapa de su mochila y lo estudia.

—¡Tenemos que resolver esto, ahora! ¿Alguna sugerencia? —Francisco mira a sus amigos, pero ninguno dice nada.

Después de una serie de deducciones más o menos aproximadas, Sofía, de pronto, coge un cuaderno de la mochila...

—Creo que... probablemente sí... ¡Ya, ya lo tengo! y escribe:

MARTÍN FIERRO

—¡Fantástico, Sofía! ¡Has resuelto el texto cifrado! —le dice Francisco—. A ver, ¿cómo lo has resuelto? —le pregunta el chico.

—Es muy simple, no hay nada misterioso. No es un enigma, es solo cuestión de pensar. La solución se obtiene tomando la primera letra de la primera palabra y la última de la segunda, y de la misma forma con las restantes.

—Tía... ¡qué lista eres! ¡Eres una auténtica Sherlock Holmes! —le dice Francisco.

—Venga, Francisco, ¿qué propones ahora?

—Pues bien, ahora lo único que tenemos que hacer es esperar. Más tarde vamos al cementerio y vamos a buscar la tumba de Martín Fierro. ¿Os atrevéis?[1]

Todos contestan afirmativamente.

Los cuatro aventureros se reúnen con el grupo y juntos regresan al hotel, cenan temprano y, alrededor de medianoche, cogen sus cosas y salen a escondidas del hotel rumbo al cementerio de la Recoleta.

Los chicos se quedan impresionados ante las dimensiones del cementerio.

—No parece tan grande en los libros —comenta Sofía.

Siguiendo las instrucciones, los chicos se dirigen hacia el lugar indicado en el mapa. Giran hacia la derecha y vuelven a doblar a la izquierda. La tercera cripta de esa calle tiene que ser la de Martín Fierro.

1. **atreverse:** decidirse a hacer o decir algo que implica un riesgo, osar.

—¿Dónde está la cripta de Martín Fierro? —se preguntan desorientados.

—Francisco, me parece que aquí no está lo que buscamos —dice Sofía mirándolo desolada.

—Pero este es el lugar preciso que indica el mapa, chicos. Tiene que estar aquí.

—Estamos en el sitio exacto —dice Giovanni—, ¡lo he entendido, lo he entendido! No tenemos que buscar a Martín Fierro. Es el título de un poema narrativo escrito por José Hernández.[2] ¡Es su autor a quien tenemos que buscar!

Entonces se acercan a la tumba, entran en la cripta y, siguiendo las instrucciones, notan que en la pared de la izquierda hay un bloque de piedra con una textura más clara: es un compartimento secreto. En el compartimento hay un cofre. Dentro descubren una carta y la mitad de un mapa.

Rápidamente, Francisco, muy enfadado, coge la carta para ver si explica dónde se encuentra el tesoro.

En la Biblioteca Nacional un libro vas a encontrar
que la otra mitad del mapa te va a dar.
Pero su nombre no te lo voy a revelar.
Un acertijo debes resolver para poderlo localizar:

TILESQCLTIEIMVFZ

—¿Qué es esto? —le pregunta Giovanni—. Parece un mensaje en código en alguna clave secreta.

—¡Es un mensaje encriptado! —exclama Araceli.

“¿Cómo lo resuelvo?” dice entre sí Francisco.

---

2. José Hernández: José Rafael Hernández y Pueyrredón (1834-1886), periodista, político y escritor argentino, especialmente conocido como el autor del *Martín Fierro*, obra máxima de la literatura gauchesca.

A continuación, lee la frase y luego sonríe. Le ha llegado la iluminación. Enseguida toma una hoja de papel y va anotando:

DONSEGUNDOSOMBRA

—No puedo creerlo, ¿ya lo has descifrado? —exclama Giovanni sorprendido.

—Ha sido fácil para mí, lo he visto en una película —dice Francisco—. En lugar de escribir una A, tenemos que escribir una Z, y en lugar de una Y, escribimos una B, etc.

—¡Eres muy inteligente! —exclama Sofía.

Luego, Francisco toma un bolígrafo y divide el texto en tres palabras mediante líneas verticales:

DON | SEGUNDO | SOMBRA

—Si no me equivoco, es el título de una novela gauchesca —dice Francisco.

—Correcto —confirma Giovanni—, su autor es el novelista y poeta argentino Ricardo Guiraldes.

—¿Y qué hacemos ahora? —pregunta Araceli.

—Está casi amaneciendo, ya es hora de volver al hotel, tenemos que ir a dormir —responde Francisco.

Y así, los cuatro chicos salen del cementerio y toman un taxi para dirigirse al hotel.

REFLEXIÓN

Araceli, Francisco, Giovanni y Sofía son verdaderos amigos. ¿Cómo debe comportarse un verdadero amigo?
Lee estas definiciones y elige la que prefieres.

- **a** ☐ Un verdadero amigo no te miente.
- **b** ☐ Un verdadero amigo te acepta por quién eres.
- **c** ☐ Un verdadero amigo te ayuda si tienes un problema.
- **d** ☐ Un verdadero amigo te cuenta sus secretos.

Después de leer • pág. 62
Valores y sentimientos • pág. 78

CAPÍTULO 5

La Biblioteca Nacional

A la mañana siguiente, se levantan temprano y se dirigen a la cafetería del hotel para disfrutar del desayuno buffet. Hay una gran variedad de fiambres,[1] quesos, y cestas de frutas.

En un extremo de la mesa central están ubicados: café, té, leche y mate,[2] mientras que los zumos están en el lado opuesto. Hay también diversas clases de panes y una gran variedad de bollos que en Argentina se llaman "facturas"; varias de ellas están rellenas con el tradicional dulce de leche. Los fabulosos churros[3] completan el buffet.

---

1. **fiambre:** surtido de carnes frías y cortadas en rodajas.
2. **mate:** en América Latina se toma la homónima "yerba mate" en infusión dentro de una pequeña calabaza.
3. **churro:** masa de harina frita con forma alargada, cilíndrica.

Después de haber desayunado, todos los alumnos se reúnen en el vestíbulo pocos minutos antes de las nueve para preparar la salida.

—¿Ya estamos todos? —pregunta el profesor.

—No, faltan Giovanni, Araceli, Sofía y Francisco —contestan algunos chicos el grupo.

Después de un rato, llegan corriendo los cuatro, con cara de preocupación, un poco despeinados y todavía medio dormidos, se unen a sus compañeros.

—Buenos días a todos. Como siempre veo que algunos siguen sin respetar el horario de encuentro... —les dice la profesora Rodrigo regañándolos—. Hoy vamos a visitar el barrio de Palermo.

El autobús los deja en el jardín zoológico. Media hora más tarde están todos reunidos delante de la entrada.

—Vais a dividiros en grupos y vais a tener cuatro horas a disposición para visitar el parque y ver todos los animales. Volvemos a quedar aquí, en la puerta de entrada, para regresar al hotel —anuncia la profesora Rodrigo.

Después de un rato, seguros de que no son observados, los cuatro chicos salen, toman un taxi en la esquina del Jardín Zoológico que los conduce al barrio porteño de Recoleta. Es el lugar donde la Biblioteca tiene su sede. La Biblioteca Nacional de Argentina es la más importante del país, creada en 1810 en el Cabildo de Buenos Aires.

Entran en la biblioteca y, sin pararse, van directamente a la oficina de información y catálogos, en donde los atiende un anciano señor que está sentado en un escritorio más viejo que Matusalén. Lleva un cartelito con el nombre Luis Burgos.

—¿Qué buscan? —pregunta.

—Queremos ver todas las ediciones de *Don Segundo Sombra* —dice Francisco.

—Voy a controlar —les dice, y entra en un pequeño cuarto que hay detrás. Después de un rato, un buen rato, sale con un montón de libros colocados sobre una mesa de ruedas.

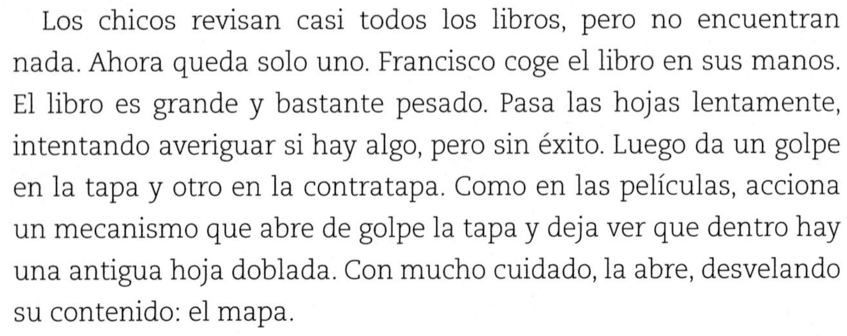

Los chicos revisan casi todos los libros, pero no encuentran nada. Ahora queda solo uno. Francisco coge el libro en sus manos. El libro es grande y bastante pesado. Pasa las hojas lentamente, intentando averiguar si hay algo, pero sin éxito. Luego da un golpe en la tapa y otro en la contratapa. Como en las películas, acciona un mecanismo que abre de golpe la tapa y deja ver que dentro hay una antigua hoja doblada. Con mucho cuidado, la abre, desvelando su contenido: el mapa.

Los chicos, siguiendo las indicaciones, bajan por una escalera de hierro hasta el sótano de la biblioteca. Por suerte, no hay casi nadie en el edificio, de manera que les resulta muy fácil pasar inadvertidos. Bajando por el sótano, se adentran entre las estanterías,[4] dirigiéndose hacia el centro de la sala. Francisco, mirando el mapa, ve algo anómalo entre las estanterías del fondo de la sala. Se dirige hacia ahí y nota que una de las estanterías no se encuentra en el mapa; en él, hay una puerta en el punto donde ahora está la estantería. Francisco se acerca a los compañeros y les dice:

—Venid conmigo, tenemos que hacer algo. Hay que quitar todos los libros de esta estantería. Después la apartamos para ver si hay algo detrás de ella.

Giovanni y Sofía empiezan a coger libros y los apoyan en el suelo. ¡Oh sorpresa! ¡Se entrevé la silueta de una puerta!

— Aquí está el tesoro que estamos buscando —dice Araceli.

Una vez que la estantería queda vacía, la cogen entre los cuatro, la empujan hacia un lado y se encuentran con la puerta. Se acercan y parece cerrada. Con todas sus fuerzas la tiran al suelo y se encuentran dentro de una sala llena de libros antiguos y la estatua de San Ignacio de Loyola. Araceli nota que uno de los botones de piedra es diferente a los otros. Se acerca hacia allí, lo pulsa y

4. estantería: mueble donde se ponen los libros.

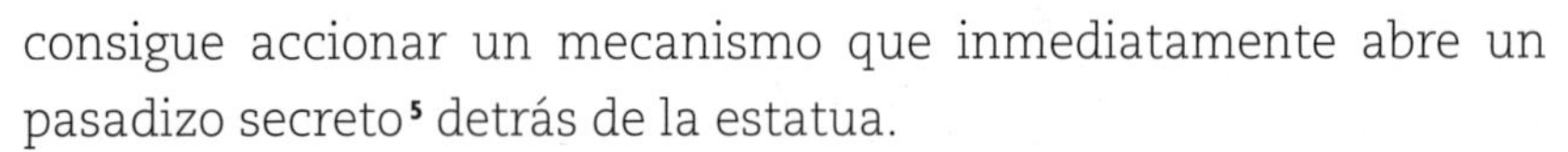

consigue accionar un mecanismo que inmediatamente abre un pasadizo secreto[5] detrás de la estatua.

—¡Chicos, venid aquí! Acabo de encontrar un pasadizo secreto —grita Araceli. Cuando los chicos se acercan, ven un pequeño túnel dentro de la pared. Todos ellos, incluido Giovanni que va delante con la linterna, entran en el pasadizo. De repente, la puerta de la pared empieza a cerrarse. Todos ellos intentan volver atrás hacia la puerta secreta, pero no llegan a tiempo para salir. Se quedan encerrados dentro.

A los chicos aterrorizados se les ponen los pelos de punta.[6]

—¡Aquí no hay salida, esto es la desolación total! Y luego ¿qué...? ¿La muerte? —dice Araceli.

—¡Socorro! —grita Giovanni.

—¡Ánimo, chicos! Todavía falta por recorrer parte del túnel —dice Francisco levantando el brazo con el puño cerrado para tranquilizarlos un poco.

---

5. **pasadizo secreto:** camino oculto que se usa para ir de una parte a otra a escondidas.
6. **poner los pelos de punta:** causar una fuerte adversión o miedo.

REFLEXIÓN

Los chicos han encontrado otra pista. Sin embargo, Francisco les recuerda que se está haciendo tarde y que deben encontrarse con el grupo para llegar a tiempo. La puntualidad es una habilidad importante para la vida. ¿Cómo te comportas si llegas tarde? Elige una respuesta.

a ☐ Llamas o envías un mensaje de texto a la persona que está esperando.

b ☐ Dejas a la persona esperando y luego explicas el porqué del retraso.

c ☐ Dejas a la persona esperando sin explicar nada.

Después de leer • pág. 64
Valores y sentimientos • pág. 78

CAPÍTULO 6

Peligro en el subsuelo

A medida que avanzan, van distinguiendo algo en la pared del fondo. Al principio no saben bien qué puede ser, pero no tardan en darse cuenta de que es un mensaje escrito.

—Ahí hay algo escrito, vamos, rápido —dice impaciente Giovanni, y sale corriendo hacia allí. Francisco le sigue. Giovanni ilumina con la linterna hacia la pared donde hay escrito un gran texto.

Muy bien, prueba superada, pero no todo va a ser tan fácil a partir de ahora, hay un pasillo delante de ti, crúzalo pero ¡ten cuidado!

—Tenemos que pasar por aquí de todos modos… ¿Tú qué opinas, Sofía? —pregunta Francisco.

—Bueno, pues entonces… vamos a ir al otro extremo. Allí vamos a ver lo que pasa.

—¿Y tú, Araceli?... ¿Estás de acuerdo? —vuelve a preguntar Francisco.

—Lo intentamos —dice Araceli con una sonrisa.

—Giovanni... ¿Tú también estás de acuerdo? —pregunta por última vez Francisco.

—Te recuerdo que somos un equipo —contesta Giovanni.

Francisco pasa primero. Los otros siguen. Giovanni ilumina el suelo para poder ver dónde tienen que ir.

—¡Nos queda poquito! —exclama Francisco mientras avanza.

Y, de pronto, se oye: ¡CLAC! Y después: ¡CLIC!

—¿Qué ha sido eso? —exclama Sofía. Empieza a salir polvo entre los huecos de los bloques—. ¡Oh, caramba!

—¡Moveos! —grita Francisco, y los cuatro comienzan a correr por el pasillo mientras el techo empieza a bajar con un horrible ruido.

A pesar de la poca luz, Giovanni ve que el techo se le viene

encima. De repente, se cierra una puerta y bloquea la entrada. El techo sigue bajando hasta el suelo.

—¡Vamos a morir aplastados! —grita aterrorizada Sofía.

—¡Probablemente existe un mecanismo para abrir la puerta o bloquear el techo! —exclama Araceli.

Los cuatro empiezan a palpar en las paredes y en el suelo, en busca de algo para detener el movimiento.

—¡Chicos, venid aquí! —les grita poco después Giovanni.

Sofía y Araceli acuden junto a él de inmediato. En el suelo, en un rincón, ven una pequeña abertura vertical.

—¿Qué hay dentro? — pregunta Francisco.

—No sé, no puedo meter la mano, es muy pequeño. Sofía, inténtalo tú —dice Giovanni.

La joven mete la mano entre los bloques de piedra.

—¡Parece que hay algo! —exclama la chica.

—¿Qué es? — pregunta Francisco.

—Estoy palpando algo metálico.

—¿Una palanca?[1] —pregunta Araceli.

—No lo sé... espera... —dice Sofía mientras intenta coger el objeto—. Puede ser.

—¿Puedes accionarla? —le dice Giovanni.

Sofía intenta mover la palanca, pero no tiene éxito, y dice:

—¡No puedo hacerlo, lo he intentado dos veces!

—¡Sí que puedes! ¡Tienes que lograrlo! Si no funciona, nos morimos —dice desesperado Giovanni.

—¡Vamos, date prisa! —añade Araceli.

—Bueno, lo intento nuevamente.

Sofía coge la pieza metálica, y tira de ella. Lo intenta otra vez y al final lo logra. ¡CLIC!

Se oye un ruido ensordecedor[2] y el techo se detiene.

—Creo que ha funcionado...

—¡Lo has logrado! —exclama Francisco.

—¡Somos un equipo! —grita Giovanni.

Se oye de nuevo un ruido fuerte, cae una lluvia de polvo y el techo empieza a subir.

Luego, se oye otro sonido metálico más fuerte. Giovanni enfoca con la linterna en dirección de la puerta que cierra la entrada y ve que se abre de nuevo.

—Bueno, ahora tenemos que salir de aquí —dice Sofía, mientras avanza por el pasillo.

Llegan al final del pasillo y luego abren una reja,[3] que es donde termina el pasillo. Luego suben por una escalera de caracol[4] vieja y podrida.

---

1. **palanca:** barra que se usa para accionar algunos mecanismos.
2. **ensordecedor:** muy intenso.
3. **reja:** cancela.
4. **escalera de caracol:** 

—Ahí delante hay algo, siento que estamos cerca. Muy cerca —dice Giovanni.

Finalmente alcanzan una puerta estrecha, Francisco se detiene delante de ella. Parece cerrada. Francisco, con manos temblorosas, aprieta la manija y empuja con el hombro. La puerta se abre: finalmente han alcanzado la superficie. De repente les deslumbra una luz dorada.

—¡Es mágico!

—¡Es increíble!

—¡Es el tesoro!

Algo en el techo les llama la atención. En la pared hay escrita una frase que se parece a una advertencia.

¡Cuidado intruso!

Un destino terrible vas a tener...

... si algo te atreves a sustraer.[5]

El lugar parece una mezcla entre la bóveda[6] de un banco y un museo. El suelo se encuentra repleto de cofres llenos de doblones[7]

---

5. sustraer: robar fraudulentamente.
6. bóveda: espacio seguro en el que se pueden almacenar dinero u objetos de valor.
7. doblón: antigua moneda de oro española, muy relacionada con los piratas y los tesoros.

españoles, gemas y elegantes manufacturados del siglo XVIII. El oro y las joyas brillan a la luz de la linterna. Hay una gran cantidad de objetos de oro y de plata: vasos sagrados, altares, adornos, coronas, candelabros, etc.

Los chicos se quedan sin aliento: hay allí dentro bastantes riquezas como para comprar un entero barrio de Barcelona.

De repente, algo llama la atención de Francisco. Se detiene delante de otro cuadro en el que aparece sir Paul César que está colgado en la pared. Se queda mirándolo fijamente y piensa: "¡Entonces... esta es la vieja casa de Paul César! El pasadizo secreto subterráneo de la Biblioteca nos ha traído aquí."

Luego descuelga el cuadro de la pared y, entonces, la misma pared se abre hacia él y revela un espectáculo maravilloso... una sala llena de cuadros.

Parece una galería de arte. De repente, algunos objetos atraen la atención de Francisco que, acordándose del artículo leído en el avión, súbitamente exclama:

—¡Hemos encontrado el escondite de la Banda Van Gogh!

REFLEXIÓN

Después de quedarse encerrados en el túnel, los cuatro chicos están atemorizados. Es normal tener miedo, pero debemos aprender a controlarlo. ¿Qué haces cuando tienes miedo? Elige una respuesta.

a ☐ Usas un lenguaje grosero.
b ☐ Empiezas a llorar.
c ☐ Te pones a temblar.
d ☐ Cierras los ojos para no pensar en eso.

Después de leer • pág. 66
Valores y sentimientos • pág. 78

CAPÍTULO 7

Misterio resuelto

Los cuatro amigos se miran consternados y comentan lo que acaban de descubrir: la vieja casa de Paul César es en realidad el escondite de la Banda Van Gogh.

De repente se oyen unas risas... y todos se quedan asombrados y con temor. Desde lejos, se oyen pasos que se acercan hacia ellos. Los chicos se ponen cada vez más nerviosos. Por debajo de la rendija[1] de una puerta de la sala, Francisco observa que la sombra de unos hombres se acerca, hasta que estos se detienen justo enfrente... solo unos centímetros los separan de ser descubiertos.

Detrás de la puerta, todos están atemorizados. De repente, a Araceli se le escapa un estornudo.

Los hombres se detienen. Francisco, Giovanni y Sofía se miran. Araceli, muerta de miedo, se aprieta la nariz y la boca.

---

1. **rendija:** abertura larga y estrecha que se forma entre dos cosas muy próximas.

—¿Qué es ese ruido? —pregunta Juan Pablo Castel, jefe de la temible Banda Van Gogh.

—Parece un estornudo —contesta Morel, su inseparable amigo.

—¿Hay alguien ahí dentro?

Nadie contesta.

Los bandidos tiran abajo la puerta y de repente Horacio Oliveira, el tercero de la banda, señalando a los cuatro chicos grita —¡Ahí están, ahí están!

Todos se echan a correr, tratando de escapar, pero los bandidos corren detrás de ellos.

—¡Alto ahí! —les gritan. Y ¡BAM! se oye un disparo de revólver. Los cuatro se quedan quietos, inmóviles, callados. Castel apunta con su arma directamente hacia ellos.

—¿De dónde salen ustedes? ¿Quiénes son? —les grita nervioso mientras les sigue apuntando.

—Nosotros somos estudiantes, no queremos molestar. ¡Le aseguro que no vamos a decir nada a nadie! ¡Se lo juro! —le dice Francisco.

—No soy ningún estúpido —le dice Castel; luego ordena atarlos.

Primero, atan a los cuatro con una gruesa cuerda con la que rodean sus cuerpos. Después, juntos y de espaldas, los obligan a sentarse en el suelo. En vano, los chicos, tratan de desatarse.

—¡Soltame![2] —se rebela Giovanni, tratando de liberarse.

—¡Suéltame, me haces daño! —suplica Sofía.

De alguna manera, Francisco logra desatarse de la cuerda y mandar un mensaje de texto al profesor:

> Estamos capturados en la antigua Villa de Paul César en el barrio de la Recoleta. Nos van a matar. Tiene que llamar a la policía.

—¡Che, Castel! ¿Ahora qué hacemos? —pregunta Oliveira.

---

2. soltame: imperativo del verbo *soltar* de 2.ª persona singular (pronombre *vos*).

—¡Hay que matarlos! —exclama Morel.

—Por ahora dejamos las cosas como están —ordena Castel.

—Hay que cambiar escondite. No podemos quedarnos aquí ahora. Tenemos que ir a un lugar seguro sin perder tiempo —dice Castel.

—Vamos, pibes.[3] Hay que cargar el camión con los cuadros —indica Castel.

Una vez colocado más o menos todo en la camioneta, Castel coge su arma y se acerca a los cuatro.

—Lo siento, chicos, no tengo nada contra ustedes. Pero no puedo dejar testigos, eso es todo —les dice acercándose a ellos.

—¡Por favor, por favor! Déjenos ir, no vamos a decir nada a nadie.

—¿Dejarlos ir? —repite Castel—. No puedo, pibes.

—Sí que puede, solo tiene que soltarnos y vamos a desaparecer para siempre.

—Hemos avisado a la policía, y ya están en camino, les conviene largarse de aquí —aconseja Giovanni.

—No te creo... no es verdad. Tú mientes, lo dices para salvarte —replica Castel en correcto castellano.

Después de aquel instante de silencio que parece una eternidad, Castel carga su arma, apuntando al pecho de Giovanni.

—¿Por qué haces esto? —pregunta Giovanni.

—Porque están en el lugar equivocado en el momento equivocado —contesta él, y coloca el dedo en el gatillo.

Por suerte, en ese instante la puerta de la casa se abre, dos agentes de policía aparecen en la sala, enseguida se escucha una voz que les dice que tienen que entregarse con las manos en alto. Rápidamente, los agentes en medio de la pelea esposan a los bandidos. Uno de los agentes se acerca a los cuatro y les da la mano.

—Hola, soy el capitán Milo Klatz. Debo agradecerles, chicos, por su ayuda. Hace mucho que intentamos atraparlos. ¡Ahora, por fin,

---

3. pibe: niño.

los tenemos en nuestras manos! Esto para mí, y para el pueblo argentino, es motivo de gran satisfacción.

Cuando llegan los periodistas, llegan también los profesores y los compañeros.

—¿Se puede saber qué pasa? —pregunta el profesor Rodríguez.

—Nada, solo encontramos el tesoro de los Jesuitas y ayudamos a atrapar a la famosa Banda Van Gogh —contestan los cuatro. Los profesores están bastante preocupados, pero también contentos, porque ya todo está bien.

En el preciso momento en que todos los compañeros felicitan a los cuatro, suena el móvil de Giovanni. Todos se quedan inmóviles, en silencio. Hasta que Giovanni anuncia con una sonrisa:

—El Ministro de la Cultura Argentina nos agradece la ayuda que le prestamos.

Y las felicitaciones también llegan vía Facebook, Instagram y Twitter. Mientras tanto, el policía se despide de los chicos; inclinando la cabeza y quitándose la gorra sube al coche. El coche de la policía arranca. Las luces azules se encienden y la sirena empieza a sonar. El sonido de la sirena se aleja poco a poco.

Todo lo bueno se acaba y el final del viaje se acerca. Los chicos están pasando sus últimas horas en Buenos Aires. Las vacaciones en Argentina terminan. Esta noche a las diez van a tener que subir al avión que los va a llevar de regreso a España.

REFLEXIÓN

Imagina que eres el capitán Klatz. Describe los diferentes sentimientos sobre el arresto de la Banda Van Gogh.

alegría enfado entusiasmo impaciencia miedo nerviosismo preocupación satisfacción sorpresa temor

Después de leer • pág. 68
Valores y sentimientos • pág. 78

▶ El puente de la Mujer, en el barrio de Puerto Madero.

Los barrios de Buenos Aires

Buenos Aires es una ciudad enorme y oficialmente está dividida en 48 barrios.

La Recoleta es una zona de gran interés tanto histórico como arquitectónico. En este exclusivo barrio se encuentra el cementerio de La Recoleta, considerado uno de los más famosos del mundo, tanto como el de Père-Lachaise de París o el de Arlington, cerca de Washington D.C.

En el sur de la ciudad se encuentra el barrio de **La Boca**, conocido por albergar el famoso estadio del Boca Juniors. Sin embargo, lo más característico del barrio son sus casas hechas de chapas y pintadas de múltiples colores. La calle más famosa de La Boca es la calle-museo peatonal Caminito, llamada así por el famoso tango *Caminito* (1926).

Palermo es uno de los barrios más grandes y sugestivos de Buenos Aires: cuenta con muchos atractivos, como el Jardín Botánico y el zoológico de la ciudad. El barrio se divide en varias zonas: Palermo Chico es una zona de palacios y residencias en la que vive una gran parte de la alta sociedad de Buenos Aires; Palermo Viejo es zona de cafés, restaurantes, casas de diseño y numerosas boutiques. Famoso por las "casas chorizo", casas de una sola planta, Palermo Hollywood debe su nombre a la presencia de estudios de televisión, radio y cine. Un poco más allá se encuentra Palermo Soho, una zona llena de artistas, moda y restaurantes de estilo.

San Telmo es uno de los barrios más antiguos y tradicionales de la ciudad. En una esquina de esta zona hay instalada una estatua de Mafalda, personaje de la historieta argentina de fama internacional, y una placa que rinde homenaje a Quino, su creador. En la plaza Dorrego, corazón del barrio, cada domingo se celebra la feria de San Telmo, un fascinante mercadillo de antigüedades y objetos de colección.

Puerto Madero es una de las zonas más exclusivas de Buenos Aires y un lugar ideal para pasear al aire libre y disfrutar de la gastronomía. Dos de las cosas más representativas de este barrio son el Puente de la Mujer y el Museo Fragata Sarmiento.

El mercado de San Telmo.

Por último, **Retiro** es un agradable barrio situado en el este de la ciudad. El lugar de mayor interés turístico es la Plaza General San Martín, una de las más importantes de Buenos Aires.

1 Comprensión lectora • Di si las afirmaciones son verdaderas (V) o falsas (F).

		V	F
1.	Buenos Aires está dividida en varios barrios.	☐	☐
2.	En San Telmo hay instalada una estatua de Quino.	☐	☐
3.	Un amante de la naturaleza puede visitar el barrio de Retiro.	☐	☐
4.	En el barrio de La Recoleta se encuentra el cementerio de Père-Lachaise.	☐	☐
5.	Palermo Viejo es una zona ideal para disfrutar de la gastronomía.	☐	☐
6.	Palermo es uno de los barrios más bonitos y vivos de Argentina.	☐	☐
7.	San Telmo es el paseo ideal para los amantes de antigüedades.	☐	☐
8.	El barrio de La Boca es conocido por las "casas chorizo".	☐	☐
9.	Si quieres ver el mar tienes que visitar Puerto Madero.	☐	☐

▸ Monumento del general San Martín.

Actividades

DESPUÉS DE LEER

1 Comprensión lectora • Di si las afirmaciones son verdaderas (V) o falsas (F).

		V	F
1.	El profe Rodríguez está de muy buen humor cuando se despierta.	☐	☐
2.	Francisco es un estudiante de un instituto en Barcelona.	☐	☐
3.	La clase está contenta porque va de excursión con el profe Rodríguez.	☐	☐
4.	Todos se presentan diciendo su nombre, apellido, edad.	☐	☐
5.	La clase de Historia es la primera del día.	☐	☐
6.	El profe Rodríguez es el profesor de Lengua y Literatura.	☐	☐
7.	El profe Rodríguez tiene miedo de entrar en clase.	☐	☐
8.	El profe Rodríguez decide acompañar de excursión a la clase.	☐	☐

2 Comprensión lectora • ¿Quién pronuncia estas frases? Escribe el nombre del personaje que habla.

directora Francs   profe Rodríguez   Giovanni   Araceli   Ezequiel

1. "¡Cada uno a su asiento por favor!" ....
2. "¿Está casado?" ....
3. "¿Qué tal el primer día?" ....
4. "Este instituto no es muy seguro." ....
5. "Yo soy de Buenos Aires." ....

3 Léxico • Busca en la sopa de letras términos relacionados con el aula.

O	E	L	R	E	L	S	P	P	S	S
L	T	I	S	E	A	R	S	U	O	C
C	E	N	X	R	O	M	Z	P	P	U
V	U	A	E	F	A	F	I	I	I	A
M	E	J	E	M	E	E	P	T	Z	D
V	I	S	A	L	A	A	Á	R	A	E
T	O	R	O	E	I	G	L	E	R	R
R	E	G	L	A	H	B	E	P	R	N
M	O	C	H	I	L	A	R	P	A	O
B	O	L	Í	G	R	A	F	O	N	T
C	A	P	E	H	C	U	T	S	E	E

mochila	lápiz
libro	estuche
pupitre	regla
pegamento	tijeras
cuaderno	profesor
bolígrafo	pizarra

Presente de indicativo del verbo *ser*

Soy el profesor Juan Rodríguez.

SER	
yo **soy**	nosostros/as **somos**
tú **eres**	vosostros/as **sois**
él/ella, usted **es**	ellos/ellas, ustedes **son**

El verbo *ser* se utiliza para:

- **identificar**: *Yo **soy** el nuevo profesor.*
- hablar del **origen** o la **nacionalidad** de una persona: *Giovanni **es** argentino.*
- hablar de la **profesión**: *Claudia Rojo **es** profesora de Lengua y Literatura.*
- hablar de la **hora**: *Ahora **son** las 6:30 de la mañana.*
- hablar de **características** permanentes: *Francisco **es** un chico guapo, alto y castaño.*

4 Gramática • Completa con la forma correcta del verbo *ser*.

1. Mi nombre .... Sofía.
2. Nosotros .... los alumnos del Instituto María del Pilar y .... españoles.
3. ¿Usted .... el profesor Juan Rodríguez?
4. Giovanni y Francisco .... dos chicos muy simpáticos.
5. —¿Qué hora es? — .... la una.

5 Expresión escrita • Rellena los espacios en blanco. Sigue las instrucciones en rojo.

1. ¡Hola! Me llamo .... (escribe tu nombre y apellido).
2. Soy .... (escribe tu nacionalidad).
3. Soy un estudiante del Instituto .... (escribe el nombre de tu instituto).
4. Tu eres .... (escribe el nombre de un chico o una chica de tu clase) ¿verdad?
5. Él es .... (escribe el nombre de un compañero de clase) y ella es .... (escribe el nombre de una compañera de clase).

DESPUÉS DE LEER

1 Comprensión lectora • Elige la opción correcta.

1. El grupo llega al aeropuerto...
a ☐ con retraso. **b** ☐ superpuntual.

2. Entre España y Argentina hay...
a ☐ cuatro horas de diferencia. **b** ☐ cinco horas de diferencia.

3. Francisco comparte la habitación con...
a ☐ Ezequiel. **b** ☐ Giovanni.

4. Paul César es...
a ☐ un jesuita que entierra un tesoro en Buenos Aires.
b ☐ un explorador que busca un tesoro en Buenos Aires.

5. Cuando salen del aeropuerto se dirigen...
a ☐ al Argentina Tango Hotel. **b** ☐ al Museo de Bellas Artes.

6. El conserje les dice que a los españoles en Argentina los llaman afectuosamente...
a ☐ catalanes. **b** ☐ gallegos.

7. La profe Rodrigo regaña ..... por llegar tarde.
a ☐ a Clara. **b** ☐ a Giovanni.

8. En el Museo de Bellas Artes de Buenos Aires destacan las...
a ☐ obras de Van Gogh. **b** ☐ obras de El Greco, Goya y Picasso.

2 Léxico • Completa el texto con las palabras correctas.

buscadores ciudad jesuitas leyendas misiones riquezas tesoros

Existen muchas **(1)** .... sobre **(2)** .... Una de ellas dice que hacia la segunda mitad del siglo XVIII cuando los **(3)** .... abandonan las **(4)** .... debido a su expulsión, lo hacen cargados de sus **(5)** .... Se dice que entierran estas riquezas en la **(6)** .... de Buenos Aires. Muchos **(7)** .... van detrás de este tesoro sin fortuna.

3 Léxico • Encuentra el intruso de cada lista de palabras.

1. conserje • botones • guía • maître
2. periódico • billete • pasaporte • visado
3. aterrizar • despegar • viajar • volar
4. habitación • vestíbulo • aeropuerto • salón
5. maleta • mochila • hacer un viaje • equipaje
6. vuelo • hotel • aeropuerto • asiento

Las formas interrogativas

¿Qué hora es dónde?

En español, las preguntas suelen ir entre dos signos de interrogación (**¿?**).

Todos los interrogativos llevan tilde, incluso en las preguntas indirectas.

- ***dónde*** sirve para preguntar por un lugar.
- ***cuándo*** sirve para preguntar por el tiempo.
- ***cómo*** sirve para preguntar por el modo.
- ***por qué*** sirve para preguntar por la causa.
- ***quién / quiénes*** sirve para preguntar por una persona.
- ***qué*** sirve para preguntar por algo que no se conoce.
- ***cuál / cuáles*** sirve para elegir entre dos o más elementos.
- ***cuánto/a/os/as*** sirve para preguntar por la cantidad.

4 Gramática • Lee estas oraciones interrogativas y pon la forma correcta.

1. ¿ .... se dice X en español?
2. ¿ .... significa "sacapuntas"?
3. ¿ .... no estudias?
4. ¿ .... de estos libros te gusta más?
5. ¿ .... es ese profesor que está allí?
6. ¿ .... es tu asignatura preferida?
7. ¿ .... cuesta el viaje de fin de curso?
8. ¿ .... estudias?

DESPUÉS DE LEER

1 Comprensión lectora • Ordena las siguientes frases.

a ☐ Los chicos deciden buscar el tesoro.
b ☐ Los chicos descubren el mapa de un tesoro.
c ☐ Giovanni y Araceli rompen sin querer el maletín.
d ☐ Giovanni exclama que el tesoro es una historia inventada.
e ☐ Todos juntos van a recorrer la ciudad.
f ☐ Francisco compra un maletín en un tenderete.
g ☐ Por fin, los chicos pueden ducharse e irse a la cama.
h ☐ Siguiendo las instrucciones, los chicos llegan justo delante de una iglesia.
i ☐ De repente, en la cavidad interna de la campana encuentran un cofre.
j ☐ Araceli propone continuar la búsqueda al día siguiente.

2 Comprensión lectora • Di si las afirmaciones son verdaderas (V) o falsas (F).

		V	F
1.	El barrio de San Telmo es conocido por su famoso mercadillo.	☐	☐
2.	A mediodía los cuatro entran en un bar a tomar un mate.	☐	☐
3.	Los chicos deciden verse después de cenar para salir a escondidas.	☐	☐
4.	Los chicos cogen un autobús para ir a la parroquia de San Ignacio.	☐	☐
5.	Los chicos no pueden encontrar el tesoro porque buscan mal.	☐	☐
6.	El profe Rodríguez ayuda a los chicos en la búsqueda.	☐	☐
7.	La profesora Rodrigo sorprende a los chicos.	☐	☐
8.	Francisco y Sofía se han perdido en la iglesia.	☐	☐

3 Léxico • Ordena las siguientes expresiones de lugar.

1. LSEOJDE: _ _ _ _ _ _ _ _
2. ERDTEENNEF: _ _ _ _ _ _ _ _ _ _
3. RIQEAALEDADIUZ: _ _ _ _ _ _ _ _ _ _ _ _ _ _
4. EDECHAAAERLD: _ _ _ _ _ _ _ _ _ _ _ _
5. ADREECC: _ _ _ _ _ _ _

4 Léxico • Escribe las letras en el lugar de los números y descubre el nombre de la sede del Gobierno argentino.

Código Secreto		
A-9	B-27	C-10
D-8	E-26	F-11
G-7	H-25	I-12
J-6	K-24	L-13
M-5	N-23	Ñ-14
O-4	P-22	Q-15
R-3	S-21	T-16
U-2	V-20	W-17
X-1	Y-19	Z-18

__ __ __ __ __ __
13 9 10 9 21 9

__ __ __ __ __ __
3 4 21 9 8 9

Hay / Estar

Hoy en clase no hay nadie. Todos están de viaje de fin de curso.

La forma impersonal ***hay*** indica la existencia de una persona u objeto **indeterminado**, y es **invariable**. Se usa con los **artículos indeterminados**, los **números**, los **cuantificadores**, los **adjetivos indefinidos**.

*En tu ciudad **hay** dos escuelas.* *Hoy en clase **no hay** nadie.*

El verbo ***estar*** indica la existencia de una persona u objeto determinado.
Se usa con los **artículos determinados**, los **nombres propios**, los **demostrativos** y los **posesivos**.

*El profesor **está** esperándote.* *El bolígrafo rojo **está** encima de la mesa.*

5 Gramática • Completa las siguientes frases con *hay* o *estar*.

1. En Buenos Aires .... muchos restaurantes.
2. ¿Dónde .... Araceli y Giovanni?
3. El mapa .... en la mochila.
4. En el hotel .... un conserje.
5. ¡Aquí no .... ningún tesoro!
6. ¡Aquí .... mi tesoro!
7. En mi clase .... veinticinco alumnos.

Capítulo 4

DESPUÉS DE LEER

1 Comprensión lectora • Di si las afirmaciones son verdaderas (V) o falsas (F).

		V	F
1.	En la cima del Obelisco descubren un cofre antiguo con una carta.	☐	☐
2.	La calle Florida es una de las más famosas y elegantes del mundo.	☐	☐
3.	Giovanni descifra el enigma de La Recoleta.	☐	☐
4.	Los cuatro salen a escondidas rumbo al cementerio de La Recoleta.	☐	☐
5.	El tesoro se encuentra en la cripta de Martín Fierro.	☐	☐
6.	En un compartimento secreto hay un cofre con el tesoro.	☐	☐

2 Léxico • Descifra el código secreto y descubre el título de un famoso tango. Sigue la siguiente pista.

El método criptográfico utilizado está en la lectura.

Las preposiciones *a*, *de*, *en*

Vengo de mi casa y voy a la estación en bici.

La preposición **a** puede indicar:

- movimiento hacia un lugar: *Voy* ***a*** *casa. / ¿Vamos de excursión* ***a*** *Buenos Aires?*
- objeto directo: *¿Ves* ***a*** *Sofía?*
- situación: *Está* ***a*** *la derecha.*
- tiempo: *Salimos de Barcelona* ***a*** *las 11 de la noche.*

La preposición **de** puede indicar:

- procedencia: *Soy* ***de*** *España.*
- pertenencia: *Este mapa es* ***de*** *Paul César.*
- tiempo: *Vamos, ya es* ***de*** *noche.*

La preposición **en** puede indicar:

- lugar: *Clara está* ***en*** *su habitación.*
- medio: *Viajan* ***en*** *avión.*

3 Gramática • Completa las frases con las preposiciones correctas.

1. En Argentina, ... José de San Martín se le considera el padre .... la patria.
2. Vamos .... autobús al famoso barrio .... La Boca.
3. .... las cuatro, los chicos dan un paseo por la calle Florida.
4. El maletín es .... Francisco.
5. Giovanni es .... Argentina.
6. Vamos .... buscar el tesoro de los Jesuitas.
7. .... la Biblioteca Nacional está la otra mitad del mapa.
8. A las doce .... la noche salen a escondidas del hotel.

4 Gramática • Lee el texto y elige la opción correcta.

***Un hombre ideal*, de Bryce Kammerzell**

La novela de Ricardo Güiraldes *Don Segundo Sombra* idealiza la vida del gaucho y todas **(1)** .... costumbres gauchescas. La novela no **(2)** .... idealiza la vida y el camino del gaucho, **(3)** .... glorifica las ideas de la libertad con la imagen del gaucho típico, con sus cualidades.

En Argentina, el gaucho simboliza y representa el honor, la virtud, la valentía y la libertad. Su equivalente a lo mejor es el *cowboy*, que **(4)** .... los Estados Unidos, en ciertos casos representa el coraje y la libertad, **(5)** .... son conocidos como gente que puede hacer cualquier cosa. El gaucho simboliza lo mismo, pero **(6)** .... los argentinos. El *cowboy* también es un ídolo; alguien con quien **(7)** .... gente puede identificarse, y es alguien que representa la identidad de muchas partes de Estados Unidos, como lo **(8)** .... el gaucho para los argentinos.

OPCIONES

	a	b	c
1.	☐ los	☐ las	☐ les
2.	☐ solo	☐ sola	☐ sole
3.	☐ pero	☐ o	☐ sino que
4.	☐ en	☐ de	☐ a
5.	☐ porque	☐ por qué	☐ porqué
6.	☐ por	☐ para	☐ en
7.	☐ muy	☐ mucho	☐ mucha
8.	☐ es	☐ tiene	☐ está

DESPUÉS DE LEER

1 Comprensión lectora • Lee la primera parte de cada oración (1-10) y asóciala con una conclusión (a-k). ¡Atención! Hay una conclusión que no se necesita usar.

1. ☐ A la mañana siguiente
2. ☐ Los chicos, siguiendo las indicaciones
3. ☐ Francisco, mirando el mapa
4. ☐ Giovanni y Sofía
5. ☐ En la oficina de información y catálogos
6. ☐ Cuando entran en el pasadizo secreto,
7. ☐ A los chicos aterrorizados
8. ☐ Araceli consigue accionar un mecanismo
9. ☐ Francisco da un golpe en la tapa
10. ☐ En la biblioteca revisan casi todos los libros

a ve algo anómalo entre las estanterías del fondo de la sala.
b empiezan a coger libros y los apoyan en el suelo.
c empiezan a observar la estatua de San Ignacio de Loyola.
d la puerta de la pared empieza a cerrarse.
e se les ponen los pelos de punta.
f se reúnen en el vestíbulo.
g que abre un pasadizo detrás de la estatua.
h y luego otro en la contratapa.
i les atiende un anciano señor.
j bajan por una escalera de hierro hasta el sótano de la biblioteca.
k pero no encuentran nada.

2 Producción escrita • Escribe los puntos positivos de la amistad y del viaje.

1. *Amistad: un amigo nos consuela en tiempos difíciles,* ....
2. *Viaje: descubrimos diferentes culturas,* ....

El imperativo informal

¡Chicos, venid aquí! ¡Moveos!

Se usa el imperativo de *tú* y de *vosotros(as)* para dar:

- **órdenes** • **instrucciones** • **direcciones**

En imperativo afirmativo, la forma de 2.ª persona singular (*tú*) es como la forma de la 3.ª persona singular en presente indicativo:

hablar → ¡**habla**! comer → ¡**come**! escribir → ¡**escribe**!

La 2.ª persona plural (*vosotros*) es igual a la forma del infinitivo cambiando la ***–r*** final por una ***-d***.

hablar → ¡**hablad**! comer → ¡**comed**! escribir → ¡**escribid**!

Imperativos irregulares

Es irregular la 2.ª persona singular del imperativo de los siguientes verbos:

decir → ¡**di**! poner → ¡**pon**! tener → ¡**ten**!
hacer → ¡**haz**! salir → ¡**sal**! venir → ¡**ven**!
ir → ¡**ve**! ser → ¡**sé**!

3 Gramática • Conjuga en imperativo los verbos que están entre paréntesis.

1. ¿El cementerio? (*Tomar*, tú) .... la primera calle a la derecha y (*seguir*, tú) .... hasta encontrar la entrada a la derecha.
2. ¿La iglesia? Sí, está muy cerca. (*Seguir*, tú) .... por esta calle dos cuadras y (*girar*, tú) .... a la derecha; allá (*preguntar*, tú) ....
3. ¿Para Isidro Casanova? (*Coger*, vosotros) .... el 55 y (*bajar*, vosotros) .... en la quinta parada.
4. (*Coger*, tú) .... la primera calle, luego (*girar*, tú) .... a la izquierda. Al final, vas a ver un parque. Allí (*preguntar*, tú) ....
5. (*Subir*, vosotros) .... a vuestra habitación.
6. (*Pensar*, vosotros) .... antes de responder.
7. (*Mirar*, vosotros) .... este cuadro. ¡Es precioso!
8. —Hola, ¿por dónde se va a la Casa de Gobierno?
   —(*Seguir*, tú) .... todo recto por la avenida Leandro Alem. Está a mano izquierda.

DESPUÉS DE LEER

1 Comprensión lectora • Lee las preguntas y elige la opción correcta.

1. A medida que avanzan en el túnel, ¿qué ven en la pared del fondo?
   a ☐ Un guardián. **b** ☐ La salida. **c** ☐ Un mensaje.
2. ¿Qué hace Sofía para bloquear el techo que baja y está a punto de aplastarlos?
   a ☐ Grita la palabra mágica. **b** ☐ Acciona un botón.
   c ☐ Acciona una palanca.
3. ¿Qué grita Giovanni cuando el techo se detiene?
   a ☐ ¡Somos un equipo!
   b ☐ ¡No sabes hacer nada!
   c ☐ ¡Es increíble! ¡Es mágico! ¡Es el tesoro!
4. ¿Cómo abre Francisco la puerta que conduce al tesoro?
   a ☐ Aprieta la manija y empuja con el hombro.
   b ☐ Con todas sus fuerzas la derriba de un empujón.
   c ☐ Consigue accionar un mecanismo secreto.
5. ¿Qué sucede cuando encuentran el tesoro?
   a ☐ Se quedan sin aliento.
   b ☐ Piensan en comprar un entero barrio en Barcelona.
   c ☐ Tienen miedo de la maldición.
6. ¿Qué llama la atención de Francisco de repente?
   a ☐ Un cofre repleto de doblones españoles.
   b ☐ Gemas y elegantes manufacturados del siglo XVIII.
   c ☐ Un cuadro de Paul César.

2 Comprensión lectora • Escribe al lado de cada afirmación quién es el personaje que la dice.

Araceli Francisco Giovanni Sofía

1. ¡Moveos! ....
2. ¡Parece que hay algo! ....
3. ¡Chicos, venid aquí! ....
4. ¡Lo intentamos! ....

El artículo

Los artículos definidos e indefinidos en español son:

	Definidos		**Indefinidos**	
	Singular	**Plural**	**Singular**	**Plural**
Masculino	el	los	un	unos
Femenino	la	las	una	unas

El artículo **definido** sirve para referirse a **algo ya conocido** o identificado. El artículo **indefinido** sirve para referirse a **algo no conocido** o que no se puede identificar.

En español existen dos **artículos contractos**:

a + el = **al** *Voy **al** cine.*

de + el = **del** *Vengo **del** cine.*

3 Gramática • Completa las frases con el artículo correspondiente.

1. Marta y Juan son .... profesores muy buenos.
2. ¡Aquí está .... tesoro!
3. Los chicos se sienten parte de .... equipo.
4. En el túnel hay .... señal que indica .... dirección.
5. Sofía mete .... mano entre los bloques de piedra.
6. .... ciudades de Argentina son bonitas.
7. Los chicos piden permiso .... profesor.
8. Giovanni y Francisco son .... chicos más simpáticos de la clase.

4 Expresión escrita • Tú estás de excursión en el extranjero. Escribe un correo electrónico a tus padres. En él debes:

- saludar;
- decir dónde está el hotel;
- describir cómo es;
- explicar qué haces todos los días;
- hablar de las cosas que te gustan;
- despedirte.

DESPUÉS DE LEER

1 Comprensión lectora • Di si las afirmaciones son verdaderas (V) o falsas (F).

		V	F
1.	La vieja casa de Paul César es en realidad el escondite de la banda Van Gogh.	☐	☐
2.	Los chicos son descubiertos a causa de un estornudo.	☐	☐
3.	Juan Pablo Castel es el líder de la temible banda Van Gogh.	☐	☐
4.	Francisco logra escapar y mandar un mensaje de texto al profesor.	☐	☐
5.	La antigua casa de Paul César está en el barrio de La Recoleta.	☐	☐
6.	Los bandidos no quieren dejar testigos.	☐	☐
7.	Los bandidos logran escapar.	☐	☐
8.	Milo Klatz es el capitán de la policía.	☐	☐
9.	Los profesores se enfadan mucho por lo sucedido.	☐	☐
10.	El ministro de Cultura se presenta y les agradece la ayuda.	☐	☐

2 Léxico • Completa el texto de esta noticia con las siguientes palabras.

descubierto enterrado mapa misterio monedas tesoro

Por fin se resuelve el **(1)** .... del famoso tesoro de los Jesuitas recientemente **(2)**................................ en Buenos Aires.

Cuatro chicos, siguiendo las instrucciones que hay en un **(3)** .... han podido llegar hasta un valioso **(4)** .... que contiene numerosas **(5)** .... de oro, que se encuentra **(6)** .... en la casa de Paul César.

3 Léxico • Asocia las palabras con su verbo correspondiente.

1. ☐	testigo	**a**	juzgar
2. ☐	policía	**b**	robar
3. ☐	juez	**c**	investigar
4. ☐	ladrón	**d**	declarar
5. ☐	detective	**e**	matar
6. ☐	asesino	**f**	detener

4 Léxico • A continuación tienes el sms lleno de abreviaturas que el profesor Juan Rodríguez envía a los chicos. Escríbelo de nuevo con las palabras completas.

Hl chicos, dnd stais?
P q no rsponds
al tlfo?

____ ______, ¿_____ _____? ¿___ ___ __ _________ __ ________?

5 Gramática • Ordena los elementos para formar frases.

1. chicos / contra / Lo/ nada / no / siento, / tengo / ustedes.

....

2. agradecerles, / ayuda. / chicos, / Debo / su / por

....

3. estudiantes, / Nosotros / molestar. / no / queremos / somos

....

4. qué / pasa? / puede / ¿Se / saber

....

6 Expresión escrita • Escribe un breve resumen de la historia. Las siguientes palabras te pueden ayudar a elaborar el texto.

esta historia habla de primero después luego
de repente pero entonces al final

....

....

....

....

....

COMPRENSIÓN AUDITIVA

1 Vas a escuchar cinco diálogos. Cada diálogo se repite dos veces. Después, debes contestar a las preguntas (1-5) y elegir la opción correcta (a, b o c).

1. Dos compañeros de clase hablan en el patio del instituto. ¿Qué va a ir a comprar Isaac?

2. Dos hermanos hablan por teléfono. ¿Qué tiempo hace hoy en Barcelona?

3. Conversación entre el empleado del restaurante "Don Felipe" y dos clientes. ¿Qué van a pedir de comida?

4. Un chico habla con su abuelo en la casa del chico. ¿Qué recibe como regalo el chico?

5. Un chico y una chica hablan en la calle. ¿Qué hay cerca de la tienda de artículos deportivos?

pista 10

2 A continuación vas a escuchar un mensaje que se suele oír en los aviones. El mensaje se repite dos veces. Después, elige la opción correcta (a, b o c).

1. ¿Cómo se apellida el comandante?

- **a** ☐ Gómez.
- **b** ☐ Ezeiza.
- **c** ☐ Pistarini.

2. ¿Cuánto tiempo falta para llegar?

- **a** ☐ Seis horas y media.
- **b** ☐ Pocos minutos.
- **c** ☐ Veinticinco minutos.

3. ¿Qué tiempo hace?

- **a** ☐ Hace mal tiempo.
- **b** ☐ Está nublado.
- **c** ☐ Hace sol.

4. ¿Cómo tienen que estar los pasajeros?

- **a** ☐ Sentados.
- **b** ☐ Parados.
- **c** ☐ Acostados.

5. ¿Cuál es la temperatura?

- **a** ☐ 6 grados centígrados.
- **b** ☐ 30 grados centígrados.
- **c** ☐ 25 grados centígrados.

1 Comprensión lectora • Vas a leer seis textos sobre personajes argentinos famosos. Selecciona el texto (A-F) que corresponde a cada enunciado (1-4).

Hay cinco enunciados, incluido el ejemplo. Selecciona cuatro.

A Diego Armando Maradona Es el jugador de fútbol más importante de la historia argentina, ídolo máximo del fútbol nacional y de la ciudad de Nápoles (Italia).	**B Jorge Luis Borges** Es el escritor argentino más reconocido y uno de los eruditos más influyentes del siglo XX. Ganador de numerosos premios a nivel mundial.
C Ernesto Che Guevara Su figura despierta grandes pasiones en la opinión pública, tanto a favor como en contra. Para muchos representa la lucha contra las injusticias sociales.	**D Papa Francisco** Es el primer papa latinoamericano de la historia. Por su ideología, es considerado un papa diferente.
E Lionel Messi Ídolo del FC Barcelona, es uno de los jugadores con más récords de la historia del fútbol argentino, como el de máximo goleador del Barcelona y de la selección argentina.	**F Eva Peron** Política y actriz argentina, María Eva Duarte, más conocida como Evita Perón, es la primera dama de Argentina en la primera mitad del siglo XX. Entre sus mayores logros cuenta con la sanción de la ley de voto femenino en 1947.

	ENUNCIADO	**PERSONAJE**
0	La magia de su camiseta 10 perdura en la memoria de los argentinos, y también de los napolitanos.	*A*
1	Juega en FC Barcelona de la Primera División de España y en la selección de fútbol de Argentina.	
2	Durante su carrera recibe muchos premios literarios.	
3	Primer sumo pontífice no europeo de la Iglesia Católica.	
4	Es una de las personalidades argentinas más controversas, despertando pasión y odio en la opinión pública.	

2 Comprensión lectora • **Lee el texto y elige la opción correcta.**

Martín Fierro es un poema épico argentino escrito por José Hernández en el siglo XIX. El poema consta de dos partes: *El gaucho Martín Fierro* (1872), y *La vuelta de Martín Fierro* (1879).

Martín Fierro debe abandonar su rancho, a su mujer y a sus dos hijos varones, porque lo reclutan a la fuerza, para luchar en la frontera. Después de vivir en el fortín durante tres años, soportando sufrimientos y privaciones, deserta. Cuando regresa a su casa encuentra que ha sido destruida y que su familia ha desaparecido. Después, desesperado, Martín Fierro mata a un hombre en un duelo y se convierte en un gaucho fugitivo perseguido por la policía. Se va a vivir con los indios y se hace amigo del Sargento Juan Cruz, otro desertor que le ha salvado la vida.

En la segunda parte, se reúne finalmente con sus hijos y vuelve a la sociedad, sacrificando gran parte de su libertad.

1. ¿En cuántas partes se divide la obra *Martín Fierro*?

a ☐ Se divide en 2 partes.
b ☐ Se divide en 13 capítulos.
c ☐ Se divide en 33 capítulos.

2. ¿Cuantos años se pasa Martín Fierro en el fortín?

a ☐ 2 **b** ☐ 3 **c** ☐ 5

3. ¿A quién conoce Martín Fierro fuera del fortín?

a ☐ A José Hernández.
b ☐ A Juan Cruz.
c ☐ A sus dos hijos varones.

4. ¿Quién escribe *Martín Fierro*?

a ☐ José Hernández.
b ☐ Martín Fierro.
c ☐ El hijo de Martín Fierro.

5. ¿Adónde mandan a Martín Fierro?

a ☐ A su casa. **b** ☐ A EE.UU. **c** ☐ A la frontera.

6. ¿A qué género pertenece la obra?

a ☐ Lírico. **b** ☐ Dramático. **c** ☐ Épico.

3 Comprensión lectora • Mira estos carteles colocados en la entrada de la biblioteca. Asocia cada señal con su significado.

a Prohibido comer y beber
b Prohibido fumar
c Prohibido tirar basura
d Prohibido hablar en voz alta
e Prohibido ingresar animales
f Prohibido utilizar el móvil

4 Expresión e interacción escritas • Rellena esta solicitud de visado, necesaria para entrar a un país extranjero.

Solicitud de visado

NOMBRE: .... APELLIDO: ....

SEXO: ☐ Varón ☐ Mujer

FECHA Y LUGAR DE NACIMIENTO: ....

ESTADO CIVIL: ☐ Soltero/a ☐ Casado/a ☐ Separado/a ☐ Divorciado/a ☐ Viudo/a

N° DE PASAPORTE: ....

MOTIVO O MOTIVOS PRINCIPALES DEL VIAJE:

☐ Turismo ☐ Negocios ☐ Visita a familiares o amigos ☐ Cultural
☐ Deporte ☐ Estudios ☐ Otro (especifíquese)..

NÚMERO DEL VUELO Y COMPAÑÍA AÉREA: ....
FECHA DE ENTRADA: ....
FECHA DE SALIDA: ....

LUGAR Y FECHA: .... FIRMA ....

El Palais de Glace

El **Palais de Glace** o **Palacio Nacional de las Artes** es un centro de exposiciones ubicado en el barrio de La Recoleta, en Buenos Aires. Fue inaugurado en 1910. La colección permanente del centro está compuesta, en su mayoría, por las obras que ganaron los primeros puestos del Salón Nacional. Posee un patrimonio de alrededor de mil obras.

Busca en la web más información sobre este museo. Trabaja con un compañero de clase y responde a las preguntas.

1. ¿En qué época del año está abierto el museo?

   ....

2. ¿Cuáles son los horarios de visita?

   ....

3. ¿Cuánto cuesta la entrada?

   ....

4. ¿Qué instalación va a visitar un amante de los libros?

   ....

5. ¿Se puede organizar una actividad dirigida a todos los niveles a partir de los cuatro años?

   ....

6. ¿Qué ofrece el Espacio de Artes Visuales Kino Palais?

   ....

TEST FINAL

1 Resumen en imágenes • Vuelve a colocar las ilustraciones en el orden cronológico de la historia.

2 ¡Pon a prueba tu memoria! • ¿Dónde tienen lugar las siguientes escenas?

1. Francisco compra un maletín muy bonito. ....
2. Los chicos se dirigen hacia la cripta de Martín Fierro. ....
3. Los chicos buscan todas las ediciones de *Don Segundo Sombra*. ....
4. Los cuatro son perseguidos por los bandidos. ....
5. Paseo de compras programado por el profe Rodríguez. ....

3 Léxico • Completa el texto del resumen de la historia. Utiliza un diccionario si es necesario.

aventura búsqueda excursión explorador estudiantes
instituto ladrones mapa tesoro trampas

Araceli, Sofía, Francisco y Giovanni, los personajes principales de esta historia, son (**1**)..........................., del (**2**)........................... "María del Pilar" de Barcelona.
Durante la (**3**) .... de fin de curso a Buenos Aires descubren un (**4**) .... que indica la ubicación de un supuesto (**5**) .... perteneciente a los Jesuitas, desaparecido siglos atrás.
El legendario (**6**) .... Paul César también desaparece durante su (**7**)........................... .

El grupo decide ir en busca de ese tesoro que los lleva a una fantástica (**8**)........................... sorteando varias (**9**)........................... y enfrentándose inclusive a una banda de (**10**)........................... que huye de la policía.

4 Léxico • Completa el artículo de un periodista que da noticias sobre la captura de la Banda Van Gogh.

adolescentes banda escondite diario periferia
robo jefe operación Policía

Buenos Aires, 2 de febrero de 2019.

Agentes de la (**1**)........................... Nacional han detenido hoy, lunes, a tres personas relacionadas con el famoso (**2**)........................... al Palais de Glace. Se trata de la famosa (**3**) .... criminal «Van Gogh». Juan Pablo Castel, de 38 anos, considerado el (**4**)........................... del grupo, es arrestado en una casa en la (**5**)........................... de Buenos Aires, en una (**6**)........................... policial en la que también son detenidas otras dos personas. Su detención se lleva a cabo gracias a un grupo de (**7**) .... que descubren por casualidad el (**8**)........................... , informan fuentes del caso al (**9**)........................... *Clarín*.

VALORES Y SENTIMIENTOS

PERSONAJES

① **Utiliza las palabras propuestas para describir a los personajes.**

alegre • amable • amigable • asombrado/a • asustado/a • atemorizado/a • aterrorizado/a • confundido/a • cordial • curioso/a • decidido/a • desolado/a • educado/a • emocionado/a • enfadado/a • impaciente • inteligente • listo/a • nervioso/a • preocupado/a • sorprendido/a • tímido/a • valiente

REFLEXIÓN

② **¿Qué sentimientos y valores hay en la historia? Elige, entre las palabras a continuación, la sensación o valor para cada capítulo.**

alegría asombro diversión miedo misterio preocupación sorpresa

cap. 1: Juan Rodríguez empieza su primer día de trabajo. → ....

cap. 2: Llegada a Buenos Aires. → ....

cap. 3: Los chicos descubren el mapa del tesoro. → ....

cap. 4: Van al cementerio de La Recoleta. → ....

cap. 5: Los chicos están atrapados en el túnel. → ....

cap. 6: Los chicos descubren el tesoro. → ....

cap. 7: Los chicos se celebran como héroes. → ....

LA HISTORIA

3 **En la nube de palabras puedes ver una lista de adjetivos que expresan sentimientos: escríbelos en los recuadros, dividiéndolos en 'positivos' y 'negativos'.**

enfado amabilidad entusiasmo
temor
alegría confusión
preocupación
consternación terror valentía
asombro sorpresa curiosidad
satisfacción miedo
timidez
susto ánimo
desolación nerviosismo impaciencia

POSITIVOS	NEGATIVOS
....	....
....	....
....	....
....	....

¡AHORA ES TU TURNO!

4 **¿Cuáles son los sentimientos y los valores que cuentan más para ti? Llena la nube con las palabras del ejercicio anterior. Escríbelas en grande si son importantes para ti y en pequeño si lo son menos. Luego compara tu nube con la de los otros estudiantes.**

Esta lectura graduada utiliza un enfoque de lectura expansiva donde el texto se convierte en una plataforma para mejorar la competencia lingüística y explorar el trasfondo histórico, las conexiones culturales y otros tópicos que aparecen en el texto.
Abajo encontrarás una lista con las nuevas estructuras introducidas en este nivel de nuestra serie **Leer y aprender Competencias para la vida**.
Naturalmente, también se incluyen las estructuras de niveles inferiores.
Para consultar una lista completa de estructuras de los cinco niveles, visita nuestra página web, *blackcat-cideb.com*.

Nivel Primero A1

Los artículos indeterminados y determinados
Los adjectivos calificativos, posesivos, demostrativos
Los pronombres posesivos, demostrativos
Los pronombres y el complemento directo e indirecto
Ser, estar, tener
El presente de indicativo

Nivel Primero

Si te gustó esta lectura, prueba también...

- *Haciendo Camino* de Cristina M. Alegre Palazón
- *En busca de Boby* de Juan de Nirón Montes
- *El Zorro* de Johnston McCulley

Nivel Segundo

...o intenta avanzar más.

- *Recetas peligrosas* de Cristina M. Alegre Palazón
- *Venganza en La Habana* de Lorenzo Guerrero
- • *Indagaciones por Madrid* de Lorenzo Guerrero